바코드

바코드

발 행 | 2025 년 02 월 04 일
저 자 | 유서희 펴낸이 | 한건희
펴낸곳 | 주식회사 부크크
출판사등록 | 2014.07.15(제 2014-16 호) 주 소 | 서울특별시 금천구
가산디지털 1 로 119 SK 트윈타워 A 동 305 호 전 화 | 1670-8316
이메일 | info@bookk.co.kr

ISBN | 979-11-419-8269-0

www.bookk.co.kr

바코드

유서희 지음

CONTENT

프롤로그

팔목을 가로지르는 희미한 선들을 가만히 바라본다. 어떤 것은 선명하고, 어떤 것은 이미 흐릿하다. 어떤 것은 깊게 패여 있고, 어떤 것은 금방 사라질 듯 얇다. 선과 선이 나란히 줄지어 있는 모습을 보고 있으면, 마치 바코드 같다. 내 몸에 새겨진 바코드.

지우고 싶다고 생각한 적도 있었다. 하지만 지운다고 해서 없어질까? 가려진다고 해서 사라질까? 아니다. 상처가 사라진다 고 해서 내가 겪은 일들이, 내가 견뎌온 감정들이 모두 사라지 는 것은 아니다. 그것들은 언제나 나와 함께할 것이다. 내가 기 억하지 않더라도, 내 몸은 기억할 것이다.

이제는 그런 생각조차 하지 않는다. 아무런 감정도 느껴지지 않는다. 그냥 있는 그대로 받아들이기로 했다. 이건 내 일부니까.

창문 틈으로 희미한 달빛이 스며든다.
방 안은 고요했다. 숨소리조차 무겁게 가라앉은 것 같다. 침대 매트리스는 삐걱거렸고, 벽에는 오래된 사진들이 덩그러니 붙어 있었다.

사진 속의 나는 환하게 웃고 있었다.

어쩌면 진짜로 행복했던 순간일지도 모른다. 아니면 그저 웃어 야 한다고 생각해서 웃었던 것일 수도 있다. 기억이 잘 나지 않는다. 나는 언제부터 이렇게 변한 걸까. 언제부터 이렇게, 살 아 있다는 감각이 희미해진 걸까.

나는 천천히 손을 뻗어 침대 머리맡에 놓인 작은 손거울을 집
어 들었다. 거울 속 내 얼굴은
무표정했다.

피곤한 눈 밑엔 짙은 그림자가 드리워져 있었고, 바싹 마른 입 술은 갈라져 있었다. 머리카락은 부스스하게 엉켜 있었고, 피부 는 창백했다. 거울을 조금 기울이자 팔목에 남은 자국들이 보
였다.

손끝으로 상처를 더듬었다. 아직 아물지 않은 상처에서 미세한 따끔거림이 느껴졌다. 아프진 않았다.

익숙했다.
사람들은 모른다.
아니, 모르는
척한다.

밝게 웃고 있는 얼굴 뒤에 얼마나 깊은 어둠이 숨겨져 있는지, 겉으로는 멀쩡해 보이는 아이가 매일 밤 어떤 생각을 하며 잠 드는지.

어른들은 말한다.
“시간이 지나면 괜찮아질 거야.”
“다 너를 위해 하는 말이야.”

친구들은 말한다.
“별일 아니잖아. 그냥 신경 쓰지 마.” “다들 힘들어. 너만 그런 거 아니야.”

하지만 아무도 묻지 않는다.
“정말 괜찮니?”

나는 오늘도 아무렇지 않은 척 학교에 간다. 평소와 같은 교복, 평소와 같은 머리, 평소와 같은 표정. 아무도 모를 것이다. 아무도 신경 쓰지 않을 것이다. 나는 잘 지내고 있는 것처럼 보일 테니까.
사실 나는 이미 투명해지고 있는지도 모른다. 아무도 나를 보지 않으니까.

그런데 그날, 아라가 나를 보았다.

처음엔 몰랐다. 아니, 모른
척하고 싶었다.

그 애를 처음 본 순간부터 왠지 모르게 신경이 쓰였다. 날카로운 눈매, 어딘가 삐뚤어진 태도, 무심한 표정.
사람들과 있을 때는 가끔 웃기도 했지만, 그 웃음이 진심이라 고는 도저히 느껴지지 않았다.

그 애는 어딘가 나와 닮아 있었다.

하지만 나는 그 애에게 관심을 가지면 안 될 것 같았다. 내가 관심을 가지면, 나도 모르게 더 깊이 빠져들 것 같았으니
까.
그리고 그 애도 나처럼 어둠 속을 걷고 있다면, 서로의 존재가 서로에게 더 위험할 수도 있었다.

나는 아무렇지 않은 척하려 했다. 그 애가 신경
쓰이지 않는 척. 아무 일도 없는 척.

그러던 어느 날, 우연히 보게 된 아라의 손목.

거기에는 내 것과 똑같은 상처가 있었다.

그 순간, 나는 깨달았다. 아라도
나와 같다는 것을.
아라도 나처럼, 아니 어쩌면 나보다 더 깊이, 더 오래된 상처를
가지고 있을지도 모른다는 것을.

나는 아라를 바라보았다. 아라도
나를 바라보았다.

우리는 서로를 알아보았다.

그날 이후, 나는 아라에게 자꾸만 시선이 갔다.

아라도 그랬던 걸까. 아라는
나에게 먼저 다가왔다.

"너."

내가 고개를 들자, 아라는 내 팔목을 힐끗 내려다보았다. 그리고는
자기 팔목을 내게 보였다.

"같네."

그 말 한마디가 귓가에 박혔다.

같다.

나는 그 말을 곱씹었다. 나는 더 이상
혼자가 아니다. 나는 더 이상 혼자가
아닐지도 모른다.

하지만 우리는 알고 있었다. 이 길의 끝이 어딘지. 우리가 서로를
알아본 순간, 우리는 같은 길을 걷게 될 거라는

것을.

그리고, 우리는 서로에게서 벗어날 수 없을 거라는 것을.

이제 서하와 아라의 이야기가 시작된다. 이제, 우리의 바코드는 더욱 깊어질 것이다.

제 1 장 첫 번째 흔적

교실 창문 너머로 흐릿한 햇빛이 스며들었다. 오전 수업 이 끝나고, 교실 안은 잠시나마 어수선한 분위기에 휩싸였
다. 누군가는 자리에서 일어나 복도로 나갔고, 누군가는 창가에 걸터앉아 멍하니 하늘을 올려다보고 있었다. 나는 조용히 책상 위에 엎드려 손가락으로 책 모서리를 만지작 거렸다.

그때였다.

내 자리에서 두 번째 칸 옆, 창가 쪽에 앉아 있던 아라가

팔을 뻗었다. 그녀는 무심한 표정으로 책을 집으려다, 소

매가 살짝 말려 올라갔다.

그 순간, 나는 숨이 멎을 것 같았다.

아라의 손목.

거기에는 내 것과 같은 상처가 있었다.

흉터들이 교차하며 길게, 혹은 짧게 이어져 있었다. 어떤 것은 이미 아물어 흐릿했고, 어떤 것은 아직 선명했다. 피 부 위에 남겨진 선들이 마치 바코드처럼 보였다.

그걸 본 순간, 내 손목이 저릿하게 아려왔다.

나는 얼어붙은 듯 시선을 돌리지 못했다. 하지만 아라는 아무렇지도 않다는 듯, 태연하게 책을 집어 들고 다시 소매를 내려버렸다. 마치 아무 일도 없었던 것처럼. 아무것도 숨길 필요 없다는 듯이.

그런데 이상하게도, 나만큼은 알아볼 수 있었다.
그 흔적들이 무엇을 의미하는지.
그것이 어떤 시간들을 지나온 흔적인지.

아라는 나와 같았다.

나는 조용히 손을 움켜쥐었다.

그녀는 이 모든 것을 알고 있을까?
아니면 그저 나처럼, 조용히 사라지고 싶었던 걸까?

그날 이후, 내 시선은 자꾸만 아라를 따라갔다.

의식적으로 피하려 해도 소용없었다. 어느 순간 문득 눈길 이 가 있었다. 복도를 걸을 때도, 급식실에서 줄을 설 때 도, 교실에서 조용히 앉아 있을 때도. 내가 신경 쓰지 않 으려고 애쓰는 만큼, 이상하게도 더 신경이 쓰였다.

하지만 아라는 여전히 무심한 표정이었다.
그 애는 마치 모든 것에 관심이 없다는 듯 행동했다.
수업 이 끝나면 조용히 자리에서 일어나 나가고, 쉬는 시간에는 가끔 창밖을 멍하니 바라보거나 책상에 엎드려 있었다. 가 끔 친구들과 대화를 나누기도 했지만, 깊은 친밀감을 나누 는 것 같지는 않았다.

나는 그걸 이해할 수 있었다.
나 역시 그랬으니까.

그 애와 나는 닮았다.
적어도, 나는 그렇게 느꼈다.

하지만 아라는 나와 다른 점이 하나 있었다.
나는 상처를 숨기려 했고, 아라는 숨기지 않았다.

그건 나를 더 혼란스럽게 만들었다.

그 애는 정말 아무렇지 않은 걸까? 아니면,
아무렇지 않은 척하는 걸까? 그런 생각을
하던 어느 날이었다.

수업이 끝나고, 나는 가방을 챙기고 교실을 나가려 했다.
그런데 문 앞에서 갑자기 누군가 내 앞을 가로막았다.

"너."

낮고 단조로운 목소리.
나는 천천히 고개를 들었다.

아라였다.

그 애는 나를 똑바로 바라보고 있었다. 눈동자는 어딘가 무표정하면서도 날카로운 느낌이 들었다. 마치 내 안을 꿰 뚫어보려는 듯한 시선.

나는 얼어붙은 듯 아무 말도 하지 못했다.

아라는 나를 한참 바라보더니, 천천히 팔을 들어 올렸다.
그리고 내 눈앞에서, 자신의 소매를 걷어 올렸다.

거기에는 내가 본 그대로의 흔적들이 남아 있었다.
여전히, 선명한 흔적들.

"봤지?"

아라는 가볍게 중얼거리듯 말했다.
나는 아무 대답도 하지 못했다.

그 애는 잠시 내 반응을 지켜보더니, 천천히 소매를 다시 내려버렸다.
그러고는 내 쪽으로 한 걸음 다가왔다.

"너도."

그 짧은 한마디. 나는 심장이 덜컥 내려앉는 기분이 들었다.

그 애는 알고 있었다. 내가 그녀의 손목을 보았다는 걸. 그리고, 내게도 같은 흔적이 있다는 걸.

나는 입술을 꼭 다물었다. 아무 말도 할 수 없었

다.

아라는 잠시 나를 빤히 바라보았다.
그러고는 피식, 아주 희미하게 웃었다.

"같네."

그 말과 함께, 아라는 천천히 교실을 나가버렸다.
그 애의 뒷모습을 바라보며 나는 숨을 내쉬었다.

손끝이 서늘하게 떨리고 있었다.

그날 이후로, 아라는 나를 피하지 않았다. 오히려 점점 더 가까워졌다.

우리는 매일 같은 시간, 같은 장소에서 마주쳤다.
그녀는 나를 쳐다보지 않으려 애쓰는 것 같았다. 하지만 그런 애쓰는 표정이 오히려 더 눈에 띄었다. 마치 내가 말 을 걸기를 기다리고 있는 것 같았다.

그러던 어느 날, 또다시 복도에서 마주친 아라가 나를 불렀다.

"너."

나는 대답하지 못하고 그녀를 바라봤다.
그녀는 여전히 무표정했다. 하지만 눈빛만큼은 다르게 느껴졌다. 그날처럼 날카롭지도, 무심하지도 않았다.

"얘기 좀 할래?"

그 말에 나는 머리가 복잡해졌다.
우리는 아무 말도 하지 않고 지나쳐왔고, 이제서야 아라가 말을 건다는 건 그만큼 이 상황을 인정한 것처럼 느껴졌 기 때문이다.
그렇지만 나는 궁금했다. 그 애는 나와 무슨 이야기를 할까?

"어디로 갈까?" 내가 물었다.

아라는 잠시 망설인 듯하다가, 고개를 끄덕였다.

"따라와."

우리는 학교 뒤편으로 나가 작은 공원 벤치에 앉았다. 공원은 조용했다. 학교의 소음이 멀리서 들려왔다. 아무도 우리를 신경 쓰지 않는 곳이었다.

아라는 조용히 팔꿈치를 무릎에 기대며 잠시 생각에 잠겼

다. 그리고 조용히 말을 꺼냈다.

"너도 알지? 내가 왜 그런 걸 했는지."

나는 고개를 끄덕였다. 아라의 말이 정확히 무엇을 의미하 는지, 나는 알았다.

우리는 상처를 가진 사람들이었다. 그리고 그 상처들은, 마치 시간이 지나도 사라지지 않는 물음표처럼 우리에게 남아 있었다.

"그거…" 나는 말을 잇지 못했다. 어떻게 말해야 할지 모르겠다고 느꼈다.

"왜 그런 걸 했냐고 묻고 싶지 않아?" 아라는 내 눈을 직접 바라보며 물었다.

나는 그 순간, 대답할 수 없다는 걸 알았다.
왜냐하면 나는, 아라와 같은 질문을 한 적이 있었기 때문이다. 내가 왜 그런 선택을 했는지, 왜 그런 상처를 남겼는지에 대해.

하지만 그때, 아라가 조용히 입을 열었다.

"누구도 우리에게 물어보지 않잖아." 그녀는 고백처럼 말 을 이어갔다.

"어떤 이유에서 그런 선택을 했는지, 왜 그렇게 되었는지 아무도 묻지 않잖아. 그냥 시간이 지나면 괜찮아질 거라고 말만 할 뿐."

나는 아무 말도 하지 못했다. 아라의 말이 너무나도 진지했기 때문이다.

그 애의 눈빛에서, 내가 지나왔던 길과 똑같은 길을 걸어온 사람이 있다는 것을 느꼈다.

"왜 그랬어?" 나는 마침내 입을 열었다.

그 질문은 아라에게도 내가 묻고 싶었던 질문이기도 했다.

아라는 잠시 침묵했다.

그리고 나서 고개를 숙이며 말을 꺼냈다.

"그냥, 아무것도 잘할 수 없을 것 같았어. 다 잘못되고, 아 무도 내 마음을 이해하지 못한다고 느꼈어. 그래서… 혼자 서 견디는 게 힘들었어."

나는 그 말이 얼마나 아픈지 알 것 같았다.
내가 겪었던 것과, 아라가 겪었던 것이 다르다고 생각했지 만, 결국 우리는 같은 아픔을 가진 사람들일 뿐이었다.

“나도… 그랬어.” 나는 결국, 내 마음을 털어놓았다. “내가 뭘 잘못했는지 몰랐어. 그래서 그냥… 내가 잘못된 것처럼 느껴졌어.”

아라는 고개를 끄덕였다. 그녀의 표정은 여전히 무표정했 지만, 눈빛 속에서는 무엇인가 변화가 느껴졌다.

“이제는 좀 나아?” 아라가 조용히 물었다.

나는 그 질문에 대답할 수 없었다. 아직도 모든 게 혼란스러웠다. 하지만 한 가지는 분명했다. 우리는 더 이상 혼자가 아니었다.

그 순간, 아라가 다시 말을 꺼냈다.

“우리는 비슷한 거 같아. 너도 그렇고, 나도 그렇고.”

나는 그 말에 숨이 멎을 것 같았다. 그
애는 나를 이해하고 있었다.
내가 겪은 상처를, 그 애는 이미 겪어본 사람처럼 말하고
있었다.

“그래.” 나는 조용히 대답했다.
“우리는 비슷해.”

그 순간, 나는 알았다. 우리는 서로의 첫 번째 흔적을 발견했다. 그리고 그것이, 우리가 서로에게 다가갈 수 있는 첫 걸음이 될 것이라는 것을.

제 2 장 숨겨진 그림자

서하와 아라는 서로에 대해 아는 것이 많지 않았다. 같은 반이었지만, 딱히 친하다고 할 수도, 그렇다고 완전히 남 이라고 할 수도 없었다. 하지만 묘하게 자주 마주쳤다. 쉬 는 시간에도, 급식 줄에서도, 하교할 때도. 그럴 때마다 이 상하게도 서로의 존재가 눈에 띄었다.

처음엔 단순한 우연이라고 생각했다. 하지만 시간이 지날 수록, 그것이 단순한 우연이 아니라는 것을 깨닫게 되었다.
그들은 서로 닮아 있었다.

그날은 유난히 비가 많이 내렸다. 회색빛 하늘은 무겁게 내려앉았고, 거센 빗줄기가 창문을 두드렸다.

서하는 텅 빈 교실에 홀로 남아 있었다. 친구들은 이미 집 으로 돌아갔고, 학교 복도에는 빗소리만이 울려 퍼졌다. 가방을 챙길 힘조차 나지 않았다. 아니, 솔직히 말하면 집 으로 돌아가고 싶지 않았다. 부모님이 있는 집은 결코 편 안한 공간이 아니었다.

창문을 바라보던 서하는 조용히 손목을 내려다보았다. 가 만히 소매를 걷어 올리자 희미한 흔적들이 드러났다. 붉게 남은 자국들. 누군가가 보면 깜짝 놀랄지도 모른다. 하지 만 놀라는 게 무슨 소용일까. 정작 가장 가까운 사람들은 이 상처를 보지도 못하는데.

“서하야.”

문득 조용한 목소리가 들렸다.

서하는 순간적으로 움찔하며 고개를 들었다. 교실 문 앞에 아라가 서 있었다.

"아직 안 갔네." 아라는 조용히 말했다.

서하는 어색하게 웃으며 고개를 끄덕였다.

"그냥… 조금 있다 가려고."

아라는 말없이 교실 안으로 들어와 서하의 맞은편 책상에 앉았다. 창밖을 바라보며 비 내리는 소리에 귀를 기울였다.

"비 오는 거 좋아해?"

아라가 불쑥 물었다.
서하는 고개를 저었다.

"그냥 그래."

아라는 조용히 미소 지었다. “나는 좋아해. 비가 오면, 혼자라는 느낌이 덜 들어서.” 서하는 그 말을 듣고 한동안 아무 말도 하지 않았다.

‘혼자라는 느낌이 덜 들어서.’

서하는 오히려 반대였다. 비가 오면 더욱 외로워졌다. 하지만 아라는 다르게 느끼는 모양이었다.

“…너, 혼자 있는 거 익숙해?” 서하는 조심스럽게 물었다.

아라는 잠시 망설이더니, 천천히 고개를 끄덕였다. “어릴 때부터 혼자였어. 부모님은 바쁘고, 나한테 신경 쓸 겨를이 없었거든.”

서하는 조용히 아라의 말을 들었다. 그 감정이 어떤 건지 서하도 알고 있었다. 하지만 서하는 아라와 달랐다. 부모님이 관심이 없었던 것이 아니라, 오히려 너무 많았다.

"너는?"

아라가 되물었다.

서하는 한참 동안 고민하다가, 어렵게 입을 열었다.

"부모님이… 나한테 기대가 커."

아라는 가만히 서하를 바라보았다.

"나는 항상 완벽해야 했어."

서하는 조용히 말을 이었다.

"시험을 잘 보면 칭찬받고, 조금이라도 실수하면 실망한단 말 들어. 처음엔 그냥 그런가 보다 했는데, 점점 더 부담 스러워졌어. 조금만 못 해도 화를 내고, 날

실망스럽게 본 다고 하고… 그러다 보니까 나도 모르게….”

서하는 손목을 가만히 감쌌다.
아라는 서하를 바라보았다. 그리고 서하가 가린 손목을 보 며 조용히 입을 열었다.

“…너.”

서하는 아라가 무슨 말을 하려는지 알 것 같아 얼른 손목을 감쌌다. 하지만 아라는 피하지 않았다. 대신 자신의 소 매를 걷어 올렸다.

서하는 숨이 멎는 것 같았다.

아라의 손목에도, 같은 흔적들이 남아 있었다.
서하는 한동안 아무 말도 할 수 없었다.
아라는 담담하게 말했다. “너만 그런 게 아니야.”

서하는 조용히 아라의 손목을 바라보았다. 자신의 상처와 너무도 닮아 있었다.

그 순간, 서하는 깨달았다.

자신은 혼자가 아니었다.

바코드 같은 상처

둘은 한동안 말없이 앉아 있었다. 빗소리가 창문을 두드리 는 소리가 교실 안을 가득 채웠다.

아라는 손목 위의 흔적을 천천히 쓰다듬으며 조용히 말했
다.

"가끔 그런 생각이 들어. 이게 마치 바코드 같다고."

서하는 그 말을 듣고 고개를 들었다.

“바코드?”

아라는 작게 웃었다. “응. 마치 우리가 이 상처들로 표시된 것처럼.”

서하는 그 말을 곱씹으며 조용히 자신의 손목을 바라보았
다. 바코드. 정말 그렇게 보였다.

“…지울 수 있을까.” 서하는 조용히 중얼거렸다.

아라는 한동안 대답하지 않았다. 그리고 천천히 말했다. “지울 순 없겠지. 하지만… 더 이상 늘리지 않을 순 있어.” 그 말은 마치 조용한 위로처럼 들렸다.

서하는 한동안 아무 말도 하지 않았다. 하지만 왠지 모르게 마음 한구석이 따뜻해지는 기분이 들었다.

그날 이후, 서하와 아라는 조금씩 서로에게 마음을 열었다.

아라는 서하에게 자신의 이야기를 했다. 부모님이 자신에 게 무관심했던 이야기, 어릴 때부터 혼자였던 기억들, 외 로움을 달래기 위해 했던 사소한 일들. 그리고 결국 견디 다 못해 시작했던 상처들까지.

서하는 그런 아라의 이야기를 조용히 들었다. 그리고 자신 도 조금씩 자신의 이야기를 꺼냈다. 부모님의 기대에 짓눌 렸던 이야기, 완벽해야 한다는 압박 속에서 점점 무너져 갔던 감정들. 그리고 결국 그것을 감당하지 못해 자해를 시작했던 순간들까지.

"우리는 왜 이렇게 된 걸까."

어느 날, 아라가 문득 물었다.

서하는 그 질문에 쉽게 대답하지 못했다. 하지만 곰곰이 생각하다가 천천히 말했다.

"아마도… 아무도 우리를 이해해주지 않았기 때문 아닐까?"

아라는 그 말을 듣고 한참을 가만히 있었다. 그러다 천천히 고개를 끄덕였다.

"그래. 그럴지도 몰라."

둘은 서로의 상처를 알아가고 있었다. 그리고 그 상처를 공유하면서, 점점 더 서로를 이해하고 있었다.

그날 밤, 서하는 오랜만에 조금 편안한 마음으로 잠에 들었다. 그리고 그 순간만큼은, 더 이상 혼자가 아니라고 느
꼈다.

햇살이 조금씩 기울어지고, 공원의 벤치는 점점 차가워졌
다. 나는 그 차가운 바람 속에서 조금 더 몸을 움츠리며, 아라와의 대화를 이어갔다. 서로의 상처를 나누며, 우리는 조금씩 서로를 이해하고 있었다. 하지만 그 과정이 그리 간단하지 않다는 걸 잘 알고 있었다. 우리 각자가 겪은 아 픔은 너무나 달랐지만, 그럼에도 불구하고 어떤 공통점을 가지고 있었다.

"그럼…" 아라가 조용히 말을 꺼냈다.

"자해를 시작한 이유가 뭐야?" 그 질문에 나는 잠시 말을 멈추었다. 아라가 이런 질문을 던질 줄은 몰랐다. 그 애가 내 마음속 깊은 곳을 보고 있 다는 느낌이 들었다. 나는 무의식적으로 숨을 들이쉬며 대 답을 꺼냈다.

"나도… 처음엔 몰랐어. 그냥 부모님이 항상 최고가 되기를 원하셨어. 언제나 그 기대에 부응하려고만 했고, 그게 점점 내게 부담이 되었지."

아라는 조용히 나를 바라보았다. 그 애의 눈빛은 차갑지 않고, 오히려 따뜻함이 묻어 있었다. 내가 이런 이야기까지 꺼내도 괜찮다고 느껴지는 눈빛이었다.

"부모님은 내가 항상 잘해야 한다고 생각하셨어. 내가 어떤 일이든 제대로 해내지 않으면 실망할 거라고 믿으셨고, 나는 그 기대에 부응하려고 애썼어. 그런데 점점 그런 압 박감이 커지니까… 그게 내 안에서 무언가를 터뜨리려고 했던 거 같아. 결국, 자해라는 방법을 선택한 거였지."

나는 그 순간, 다시 그때의 느낌을 떠올렸다. 손목을 긁었을 때의 찌릿한 아픔, 그리고 그 아픔이 내 안의 고통을 잠시나마 잊게 해줬던 순간들. 그것이 어떻게 나에게 끊임 없이 반복되는 습관이 되었는지를.

"그때는 그게 유일한 방법 같았어." 나는 이어서 말했다. "내 몸에 상처를 남기면, 그게라도 내 고통을 표현할 수 있을 것 같았어. 아무리 애를 써도 부모님은 내 마음을 알 지 못했으니까, 그때마다 내가 느끼는 압박감을 그 상처로 풀어냈어."

아라는 한동안 아무 말 없이 나를 바라보았다. 나는 그 애 의 침묵이 부담스러웠다. 그 애도 나처럼 그런 고통을 겪 어봤을까? 그런 생각이 들었지만, 아라가 고백할 준비가 되었을지 알 수 없었다.

"나도…"

아라가 조용히 입을 열었다.
　　　그 말에 나는 놀라서 아라를 쳐다보았다. 그 애가 말을 꺼내기 시작한 거였다. 그 애가 어떤 이야기를 할지 궁금했다. 아라는 잠시 숨을 고르며 계속 말을 이어갔다.

"나는…" 아라가 말을 꺼냈다.

"나는 자해를 시작한 이유가, 부모님이 나에게 아무런 관심도 없었기 때문이야."

내가 예상했던 것과는 다른 이야기였다. 아라는 내게 그렇 게 말할 줄 몰랐다. 나는 아라의 말에 집중하며, 그 애가 계속 말할 수 있도록 기다렸다.

"부모님은 내가 뭘 하든, 어디에 가든, 그냥 내가 잘 지내는지조차 신경 쓰지 않았어. 그게 점점 나를 외롭게 만들었지." 아라는 고개를 숙였다. "어릴 때부터 나 혼자였어. 부모님은 사업하느라 바쁘고, 나는 아무도 내 얘기를 들어 주지 않았어. 그게 너무 외로워서…"

아라는 잠시 말을 멈추었다. 그 애의 눈빛은 다시 흔들리고 있었다. 나는 아라의 고통을 이해하려 애썼지만, 그 애 의 내면을 완전히 알 수는 없었다. 그 외로움이 얼마나 깊 었을지 상상하기조차 어려웠다.

"그래서…" 아라가 다시 입을 열었다.

"자해를 시작한 건 내 마음을 외부로 표현하려는 방법이었어. 아무도 내 마음을 들여다보지 않았으니까, 내 몸에 상처를 남기면, 내가 아프다는 걸 누군가 알게 될 거라 생 각했어. 내가 느끼는 외로움과 고통을 누구라도 조금이라 도 이해해주길 바랐던 거지."

그 말을 듣고 나는 아라의 고통을 실감할 수 있었다. 아라는 외로움 속에서 그 누구도 자신의 마음을 알아주지 않기에, 그 상처로라도 자신을 표현하고 싶었던 거다. 나는 그런 아라가 너무 안쓰러웠고, 동시에 내가 그 아라의 상처를 이해한다는 사실에 마음이 아렸다.

"그럼…" 내가 말을 꺼냈다.

"지금은 그만두려고 하는 거야?"

아라는 잠시 생각을 하다가 고개를 끄덕였다.

“응, 이제는 그만두려고 해. 자해가 내 고통을 풀어주지 않는다는 걸 알게 됐거든. 그 상처를 남겨도 아무것도 해결되지 않았어.”
“그렇구나…”

나는 잠시 침묵했다. 그 애는 자신을 표현하려 했던 방법 을 이제는 버리려는 의지를 갖게 된 거다. 나도 그와 마찬 가지였다.

“나도 그만두려고 해.”

나는 조용히 말을 꺼냈다.

“더 이상 내 몸에 상처를 남기고 싶지 않아. 그게 내 고통을 해결해주지 않는다는 걸 깨달았어.”

“우리 둘 다…”

아라는 미소를 지으며 고개를 끄덕였다.

"이제는 다른 방법을 찾아야 해. 상처를 남기지 않고, 우리가 느끼는 고통을 표현할 수 있는 방법을 찾아야지."

나는 아라의 말에 고개를 끄덕였다. 그 순간, 내가 느꼈던 무거운 마음이 조금 풀리는 것 같았다. 서로가 다른 방식으로 아픔을 겪었지만, 이제는 그 고통을 치유하려고 하고 있다는 사실이 우리를 더 가깝게 만들어 주었다.

"맞아."

내가 웃으며 말했다.

"이제 서로에게 의지하면서, 조금씩 나아가자."

아라는 내 말을 들은 후 고개를 끄덕이며 말했다.

"응, 우리 함께라면 조금씩 나아질 거야."

제 3 장 새로운 시작

아라와 나는 그날 이후로 서로 조금씩 다르게 변해가기 시작했다. 자해를 그만두기로 결심한 이후, 우리는 각자 나름대로 마음을 달래줄 방법을 찾아보기로 했다. 말 그대 로, '새로운 시작'을 하기로 한 것이다. 그렇게 시작된 변화 는 처음에는 서툴렀고, 가끔은 두려웠지만, 그 과정 속에 서 우리는 서로에게 조금씩 힘이 되어갔다.

첫 번째로 아라는 그림을 그리기로 했다. 그 애가 그림을 그린다고 했을 때, 나는 살짝 의아했지만, 그 애의 말에 담긴 결심을 느낄 수 있었다. 그림은 그 애의 내면의 감정을 드러내는 중요한 방식이 될 거라는 직감이 들었다. 아라는 예전부터 물감과 캔버스 앞에서 시간을 보내는 걸 좋아했다. 그런데 그때까지는 그저 취미가 아닌, 마치 누군가에게 보여주기 위한 작업처럼 느껴졌을 수도 있었다.

그러나 이제는 그 그림이 자신을 치유하는 방법이 되기를 바랐다.

"그림을 그리면서 내가 느끼는 감정을 표현할 수 있을 것 같아."

아라가 그런 말을 했을 때, 나는 그 애의 얼굴에서 약간의 불안과 희망이 섞여 있는 감정을 읽을 수 있었다. 그림을 통해 과거의 아픔을 떠올리기도 할 것이고, 새로운 시작을 위한 단초를 찾기도 할 것이다. 그 애에게 그림은 단 순히 색을 채우는 것이 아니라, 마음의 한 조각을 놓는 과 정이었다.

"그럼 나도 뭔가 해야겠다."

나는 아라의 말에 자극을 받아, 나도 무언가 시작해야겠다 는 생각을 했다. 나는 그동안 무엇이 나를 행복하게 하는 지 몰랐었다. 내 주변의 세상은 항상 나를 그 어떤 목표로 만 밀어붙였고, 나는 그 속에서 내 자신을 잃어버렸다고 느꼈다. 성적이나 부모님의 기대에 부응하는 일들이 나를 점점 더 힘들게 만들었지만, 그런 것들은 내가 나를 잃어 버리게 만들었다는 걸 깨달았다.

그럼, 이제 내가 해야 할 일은 무엇일까? 나는 그동안 숨겨뒀던 내 감정을 표현할 방법을 찾아야 했다. 그래서 떠오른 것이 글쓰기였다. 글쓰기는 내가 내 안의 복잡한 감정을 풀어내는 데 도움이 될 수 있을 것 같았다. 나는 책에서 읽은 적이 있었다. 글을 쓰면서 사람은 마음을 정리할 수 있다는 이야기를. 나도 그런 방법을 통해 조금씩 나 자신을 되찾고 싶었다.

"나는 글을 써볼까 해."

나는 아라에게 말했다.

"그동안 내가 느끼는 감정이나 생각을 그냥 글로 써보려고 해. 일기처럼 말이야."

"글쓰기?"

아라는 의아하게 물었다.

"그런 것도 치유가 될까?"
"응, 나도 잘 모르겠어. 그런데 일기를 써본 적이 없거든. 한 번 써보면 마음이 조금 정리될지도 모르겠다는 생각이
들어."

그 말을 듣고 아라는 잠시 생각하다가 미소를 지었다.

"글쓰기… 그것도 좋은 방법인 것 같아. 네가 무언가를 시 작하는 것만으로도 나쁘지 않을 거야."

그날 이후로 나는 매일 밤, 자리에 누워서 일기를 쓰기 시 작했다. 그때마다 나는 내 감정이 무엇인지, 내가 무엇을 원하는지, 내가 왜 이렇게 괴로운지 써내려갔다. 처음에는 단어들이 손끝에서 잘 나오지 않았다.

마음속의 감정을 글 로 표현하는 것이 너무 어려웠다. 하지만 점차 그런 것들 이 조금씩 풀리기 시작했다.

처음에는 하루를 돌아보는 것에 그쳤지만, 점점 내 마음속 깊은 곳에 숨겨져 있던 감정들이 글을 통해 쏟아져 나왔 다. 부모님에게 느꼈던 압박감, 끝없이 나를 비교하고 평 가하는 세상에 대한 불안감, 그런 것들이 점점 글을 통해 드러났다. 나도 내가 얼마나 많은 걸 억누르고 살아왔는지 를 깨달았다. 내 안에 쌓였던 분노와 외로움, 불안감이 그 때마다 한 줄, 한 줄씩 풀려나갔다.

아라는 그림을 그리며 나에게 조금씩 그 모습을 보여줬다. 아라는 종이 위에 형형색색의 물감을 덧칠하면서, 점차 자 신의 감정을 표현하는 데에 더 능숙해졌다. 처음에는 흐릿 한 색만을 사용하던 아라는, 점점 그 색을 굳이 남기지 않 고 캔버스를 채워나갔다. 아라에게 그림은 그저 예술이 아 니라, 자신의 상처를

덮을 수 있는 방법이자, 새로운 시작 을 위한 첫
걸음이었다.

"서하야, 내가 그림을 그리면 좀 이상한 점이 있어." 어느 날 아라가 말했다. "그림을 그리면서 내 마음속의 감정이 나와 닮아간다는 기분이 들어. 어떤 때는 그림을 그리면서 내가 나를 마주하고 있다는 느낌이 들어."

"그건 아마 네가 그림을 통해서 너 자신을 표현하고 있기 때문일 거야. 그림을 그리면서 넌 그 상처들을 조금씩 지워나가고 있을지도 몰라." 나는 조용히 대답했다. "그림이 아라에게 그런 방식으로 도움이 될 수 있다면, 정말 좋겠

다."

"응, 내가 점점 더 나아지고 있다는 느낌이 들어."

아라는 고개를 끄덕이며 말했다.

"그림을 그리면 내가 무엇을 느끼고 있는지 알 수 있게 돼. 그리고 그게 나를 조금 더 편안하게 해."

나는 아라의 말을 들으며, 내가 글을 쓰는 것과 비슷한 점 이 있다는 생각을 했다. 글로 내 감정을 표현하며 나는 내 내면을 정리하고, 아라는 그림으로 자기 내면을 정리하고 있었다. 그 순간, 나는 우리가 함께 이 길을 걸어가고 있 다는 사실이 참으로 소중하게 느껴졌다.

그렇게 우리는 각자의 방법으로 치유를 해가며, 조금씩 변 화해나갔다. 하지만 그 변화는 단순히 외적인 모습에 그치 지 않았다. 우리는 서로의 변화와 성장을 눈으로 확인하며, 조금씩 더 가까워졌다. 함께 나누는 취미, 그리고 그 속에 서 나누는 이야기는 우리가 서로를 더욱 이해하게 만들었
다.

"서하야, 너 글쓰기 진짜 잘하는 것 같아." 아라가 나의 일기를 읽고 말했다.

"너무 솔직하고, 내 마음을 표현하는 것처럼 느껴져. 네가 글을 쓸 때, 내가 그 안에 들어간 느낌이 들어."

"고마워, 아라야."

나는 아라의 말을 듣고 조금은 부끄러워지면서도, 그 말이 내게 큰 힘이 된다는 걸 알았다.

"나는 아라가 그린 그림을 볼 때마다, 그 속에 숨겨진 이야기를 알 것 같아. 네가 얼마나 힘들었는지, 얼마나 외로웠는지. 네 그림 속에는 네가 느꼈던 모든 감정들이 담겨 있는 것 같아."

"우리, 이렇게 계속 서로의 이야기를 나누고 있으면 점점 더 나아질 수 있을 거야." 아라는 고개를 끄덕이며 말했다.
"너와 함께라서 나도 조금씩 치유되고 있는 것 같아."

"나도 그래. 아라야, 고마워."

우리는 서로에게 미소를 지으며, 조금씩 더 나아가는 길을 함께 걸어갔다. 취미라는 작은 출발점이었지만, 그 길을 걷다 보니 서로가 얼마나 중요한 존재인지, 얼마나 큰 힘 이 되어주는지를 실감할 수 있었다. 그리고 우리는 알게 되었다. 그 길을 함께 가는 것만으로도, 우리는 이미 많은 것을 이겨냈다는 사실을.

제 4 장 다시, 상처의 길로

서하의 눈빛이 변하기 시작한 건 그날 이후였다. 처음에는 아무렇지 않게 지내던 서하가 점점 말없이 지내기 시작했

다. 표정이 어두워졌고, 아침에 학교에 가는 길에도, 수업 중에도, 심지어 쉬는 시간에도 아무 말 없이 앉아 있었다. 나는 그 애가 무슨 일이 있는지 물어보았지만, 서하는 고개를 돌리며 대답하지 않았다. 그 애가 말하지 않는 순간,

나는 그 애에게 무언가 큰 변화가 일어나고 있다는 걸 직감할 수 있었다.

“서하, 괜찮아?”

내가 조심스럽게 물어보았다.

“너 요즘 이상해. 뭔가 말해봐. 나도 너한테 도와줄 수 있으면 좋겠어.”

서하는 잠시 고개를 숙였고, 내게 눈을 마주치지 않은 채 조용히 말했다.

“부모님이 다시 나에게 성적을 강요해. 더 이상 못 참겠다 고 하셨어. 나를 실패한 사람처럼 대하고, 이제부터 무조 건 성적을 올리라고 했어. 그래서… 나는 내가 뭘 해야 할 지 모르겠어.”

그 애의 목소리는 떨리고 있었다. 하지만 그 애는 내 눈을 피하며, 고통을 참는 듯한 표정을 짓고 있었다. 나는 그 애가 얼마나 힘든지 알 수 없었다. 부모님이 더 이상 참을 수 없다고, 더 이상 너를 사랑할 수 없다고 말하는 걸 들으면서, 그 애는 점점 더 무너져 갔던 것이다.

"서하…" 나는 말을 잇지 못했다. "너… 왜 그런 걸 혼자 감당하려고 해? 우리 함께 있잖아."

서하는 고개를 흔들며 말했다.
"너는 나를 이해할 수 없어. 부모님은 내게 기대하는 게 너무 많고, 나는 그걸 다 감당할 수 없어. 그게 나쁜 일인 걸 알지만, 나는 그걸 감당할 힘이 없어."

그 말에 나는 아무 말도 할 수 없었다. 서하가 스스로를 그렇게 내버려 두는 걸 보면서도, 내내 속으로 무언가가 무너져 내리는 것 같았다. 그 애는 점점 더 깊은 절망에 빠져가고 있었고, 나는 그 애를 지켜볼 수밖에 없었다.

그리고 얼마 지나지 않아, 서하의 모습은 더 이상 예전의 서하가 아니었다. 수업이 끝난 뒤에도 그 애는 혼자서 멀리 걸어갔고, 나에게는 연락을 하지 않았다. 나도 처음에는 그 애가 잠시 혼자 있고 싶어서 그런 것이라고 생각했지만, 점점 그 애의 행동에 대한 의구심이 들기 시작했다. 하루는 서하에게서 한 통의 문자 메시지를 받았다.

"미안, 나 좀 쉬어야 할 것 같아. 요즘 너무 힘들어서."

나는 그 메시지를 보고 안도의 한숨을 내쉬었다. 그래도 서하가 나에게 전화를 하지 않은 것만큼 그 애는 고립되어 가고 있었다. 하지만 그때 나는 아직 그 애의 상황을 전혀 알지 못했다.

며칠 뒤, 나는 서하의 집을 우연히 지나가게 되었고, 그곳에서 서하의 모습을 발견했다. 서하는 침대에 누워 있었고, 옷이 어지럽게 널려 있었다. 방 안은 온통 어두웠고, 서하 의 얼굴에는 고통이 새겨져 있었다. 그 애는 내게 전혀 반 응을 보이지 않았고, 눈을 감은 채 있었다.

"서하!" 나는 급히 그 애를 깨우려 집으로 다가갔다. "왜 이렇게 아무 말도 없이…"

서하는 내 손길을 거부하지 않았다. 대신, 침대 옆에 놓인 작은 상자 하나를 가리켰다. 나는 상자를 열어봤고, 그 안 에서 본 것은 내가 상상도 못했던 것들이었다. 수 많은 약 들과 커터칼, 밴드가 있었다. 나는 황급히 서하의 팔을 학 인하였다. 서하의 팔에 그어진 여러 개의 상처들, 깊고 붉 은 선들이 그 애의 몸을 덮고 있었다. 자해의 흔적들이 분 명히 보였고, 그 애는 그 상처들을 여전히 지우지 않았다.

"서하…"

나는 간신히 말을 꺼냈다.

"이건… 왜 이런 거야?"

서하는 내 말을 듣고도 아무 대답을 하지 않았다. 그 애는 그저 침대에 누운 채, 아무 표정도 없이 나를 바라보고 있 었다. 그 눈빛은 마치 세상과 자신을 단절한 듯한, 무의미 한 빛을 내고 있었다. 나는 다시 그 애의 팔을 가만히 쥐
었다.

"왜 이런 거야, 서하? 왜 다시 그 길로 가고 있어?"

"너는… 나를 이해하지 못할 거야."

서하는 한숨을 내쉬며 말했다.

"부모님이 내가 부족하다고 하면, 나는 그걸 증명할 수밖에 없잖아. 아무리 괴로워도… 아무리 힘들어도… 그건 나 만의 일이야. 내가 살아남을 방법은 이거밖에 없어."

그 말에 나는 충격을 받았다. 서하가 지금까지 겪었던 고통이 얼마나 컸을지, 나는 그때 처음으로 조금이나마 알게 되었다. 하지만 그 애가 여전히 자해의 길을 선택했다는 사실은 나에게 깊은 절망을 안겨주었다. 나는 더 이상 그 애를 말릴 수 없었다. 그 애는 자신이 부족하다고 믿고 있 었다. 자신이 어떤 선택을 해도, 결국 그 애가 처한 상황 을 벗어나지 못한다고 믿고 있었다.

“너… 이렇게 하면 더 아프잖아.” 나는 서하를 바라보며 말했다. “이렇게 하면 너는 점점 더 괴로워질 거야. 하지만, 네가 무언가를 할 수 있을 거라는 희망은 없어져 버릴 거
야.”

서하는 다시 한 번 고개를 숙였다.

“희망 따위… 이미 내게는 없었어. 나는 부모님이 원하는 대로 하지 않으면, 그냥 무시당할 거야. 그게 나의 운명이야.”

"그건… 그건 네 운명이 아니야."

나는 눈물이 나오는 것을 참으며 말했다. "네가 선택해야 할 건 그런 길이 아니야. 서하, 너는 그럴 사람이 아니야."

서하는 나의 말을 듣고도 아무런 반응을 보이지 않았다. 그 애는 여전히 고통 속에서 자신만의 길을 가고 있었다. 그 길이 얼마나 더 깊어질지, 나는 알 수 없었다. 나는 그 애를 붙잡고 싶었지만, 그 애의 몸은 나의 손길을 피하기만 했다.

서하는 다시 자해를 시작했다. 부모님의 압박에 더 이상 버티지 못해, 다시 그 상처를 찾았다. 그 애는 고통 속에서 그 길을 계속해서 걸어가고 있었다. 내가 아무리 말해도, 아무리 도와주려고 해도, 그 애는 그 길에서 벗어나지 못했다.

서하의 절망은 끝없이 깊어져 갔다. 그리고 나는 그 절망 속에서 그 애를 지켜볼 수밖에 없었다. 다시 시작된 상처는, 서하의 마음 속 깊은 곳에서 나오는 비명 같았다. 그 애는 계속해서 상처를 그어가고 있었다.

제 5 장 함께 걸어가자

서하가 다시 자해를 시작한 후, 나는 그 애가 겪고 있는 고통을 제대로 이해할 수 없다는 사실에 가슴이 무너졌다. 그 애가 자신을 괴롭히는 상황 속에서 스스로를 닫아버리 고, 나와의 관계도 점차 멀어져 가는 게 느껴졌다. 아무리 말을 해도, 아무리 가까워지려 해도, 서하는 점점 더 깊은 곳으로 빠져들었다. 그 애는 절대 내 손길을 허락하지 않 았고, 나는 그 애를 구할 방법을 찾을 수 없었다.

하지만 그럼에도 나는 그 애를 포기할 수 없었다. 서하가 절망에 빠졌을 때, 그 애가 다시 일어날 수 있도록 돕고 싶었다. 그 애가 겪고 있는 고통을 내가 모두 알 수는 없지만, 적어도 내가 그 애 옆에 있어줄 수 있다는 믿음만큼은 가지고 있었다.

어느 날, 나는 서하에게 전화를 걸었다.

"서하, 나랑 얘기 좀 할래?"

서하는 잠시 망설이다가 전화를 받았다.

"아라, 무슨 일이야?"

그 애의 목소리는 여전히 피곤하고 지쳐 보였다.

"너 요즘 너무 괴로워하는 것 같아서, 얘기 좀 하자." 나는 부드럽게 말했다. "너랑 얘기하고 싶어. 나한테 말해봐."

서하는 잠시 말을 끊었다가, 짧게 답했다.

“그냥… 괜찮아.” 그 애의 목소리에서 느껴지는 피로와 고통을 무시할 수
없었다.

“서하, 괜찮지 않아. 내가 너랑 함께할 거야.”

나는 다짐하듯 말했다.

“너 혼자라고 생각하지 마. 내가 여기 있어. 네가 아무리 말하지 않아도, 나는 네 옆에 있을 거야.”

서하는 다시 침묵했다. 몇 초가 지나고 나서, 그 애가 입을 열었다.

“아라, 난… 난 이제 더 이상 아무것도 할 수 없을 것 같아. 부모님이 날 버린 것 같아. 성적이 안 되면, 내가 아무리 노력해도 아무것도 될 수 없을 것 같아.”

그 애의 말은 그 자체로 깊은 절망의 바다에 빠져 있는 것 같았다. 서하의 목소리 속에서 느껴지는 그 냉정한 무기력 함은 나를 더욱 아프게 했다. 나는 잠시 침묵한 후, 진심 을 담아 말했다.

"서하, 넌 그렇게 말하면 안 돼. 성적이 다가 아니야. 부모님의 기대가 너를 정의하는 게 아니야. 너는 너 자신으로 충분히 가치가 있는 사람이야. 네가 잘못한 게 아니라, 그 들이 너무 많은 걸 기대한 거야."

서하는 그 말을 듣고 잠시 아무 말도 하지 않았다. 그러나 그 애의 목소리가 조금은 가라앉고, 숨소리가 안정되었다.

"내가 나쁜 사람인 것 같아."

서하가 낮은 목소리로 말했다.

"내가 이렇게 자꾸 부모님 기대에 못 미치고, 실망시킬 때 마다… 그럴 때마다 나는 내가 얼마나 부족한 사람인지
느껴져."

"서하,"

나는 깊은 한숨을 내쉬며 말했다.

"너는 절대 부족한 사람이 아니야. 그런 생각을 하지 마. 부모님이 원하는 모습이 네가 아니어도 괜찮아. 너는 그 자체로 특별하고 소중해. 너의 행복을 위해서, 너 자신을 위해서 살아야 해. 아무리 괴로워도, 내가 너와 함께 있을 거야."

그 말에 서하의 숨소리가 잠시 멈췄다. 그리고 그 애가 답
했다.

"그런데… 난 그게 잘 안 돼. 나는 계속해서 나를 비난하고, 나를 괴롭혀. 그래서 다시 자해를 시작했어. 그게 나를 잊을 수 있는 방법 같아서."

그 애의 말에 나는 가슴이 아프고, 속이 막히는 기분이 들었다. 서하가 자신을 그렇게 아프게 하고 있다는 사실이 너무 참담했다.

"서하, 제발 그런 길을 다시 가지 마. 너는 그런 방법으로 자신을 해결할 수 없어. 그건 네가 원하지 않는 길이야. 네가 그 길을 계속 가면, 너 자신을 더 이상 사랑할 수 없을 거야. 그 길은 끝이 없어."

서하는 잠시 아무 말도 하지 않았다. 하지만 나는 그 애가 내가 말하는 걸 듣고 있다는 걸 알았다. 내가 서하에게 전 하고 싶은 것은 단 한 가지였다. 그 애는 혼자가 아니라는 것, 그리고 내가 그 애의 곁에 있다는 것. "서하, 네가 아프다면, 나는 함께 아플 거야. 네가 무너질 때, 나는 너를 붙잡고 있을 거야."

나는 목소리를 높이지 않고, 평소처럼 부드럽게 말했다.

"그 어떤 일이 있어도 나는 네 편이야. 너를 절대 혼자 두지 않을 거야."

서하는 다시 한 번 깊은 한숨을 내쉬며, 나에게 대답했다.

"아라… 네가 그렇게 말해줘서 고마워. 내가 뭔가 제대로 하고 싶어도, 자꾸만 실패하는 것 같아서… 내 자신이 너무 싫었어."

"서하, 실패가 아니야."

나는 다시 한 번 힘주어 말했다.
"너는 실패하지 않았어. 네가 잘못한 게 아니야. 네가 아픈 이유도, 고통스러워하는 이유도… 그 누구도 네 잘못이 라고 할 수 없어. 그건 네가 감당할 수 없는 무게였을 뿐

이야."

서하는 잠시 침묵했다. 그 애는 내 말이 조금이라도 위로가 되었을까, 조금은 풀어졌을까? 나는 그 애의 마음을 다 들여다볼 수 없었지만, 그 애가 조금이라도 위로를 받았다 면 좋겠다고 생각했다.

"아라…"

서하가 조용히 말했다.

"그런데, 나… 나 이제 어떻게 해야 할까? 내가 이 고통에서 벗어날 방법을 찾을 수 있을까?"

"서하, 한 걸음씩 나아가면 돼."

나는 진심으로 말했다.

"너는 이미 많은 걸 해왔고, 앞으로도 계속 해나갈 수 있어. 네가 지금 겪고 있는 고통이 끝이 아니야. 그 고통이 지나고 나면, 너는 더 강해질 거야. 그리고 나는 그 길에서 너를 계속해서 지지할 거야."

서하는 고개를 들고, 잠시 생각하는 듯했다. 그리고 나서 그 애는 한 마디를 더 했다.

"고마워, 아라. 너랑 이렇게 얘기하니까, 조금은 마음이 편 해졌어."

나는 그 말을 듣고, 속으로 안도의 한숨을 내쉬었다. 서하가 다시 조금씩 마음의 문을 열어가는 것 같았다. 그리고 그 애가 다시 한 걸음씩 나아갈 수 있도록, 나는 언제나 그 옆에 있을 것이다.

제 6 장 다시 일어설 수 있을까

서하와 아라는 점점 더 서로에게 의지하게 되었다. 한때는 서로가 단지 고통 속에서 가까워지기만 했던 관계였지만, 이제는 그 애들이 겪고 있는 절망을 함께 나누고, 서로의 상처를 조금씩 아물게 만드는 시간이 되어가고 있었다. 두 사람의 관계가 더 깊어지고, 더 강해질수록 그들의 고통도 조금씩 덜어지기를 바랐다. 하지만 고통이 완전히 사라지 는 것은 아니었다. 여전히 서하의 부모님은 그 애에게 높 은 성적을 요구했고, 아라는 자신을 잃어가는 듯한 외로움 속에 있었지만, 이제는 더 이상 혼자가 아니었다.

“아라, 나… 조금씩 나아지고 있는 것 같아.” 서하가 어느 날, 조금은 여유가 생긴 목소리로 말했다. 그 애의 얼굴에 오랜만에 미소가 떠올랐다.

“그래도 아직도 내가 다 해낼 수 있을지 확신이 안 들지만, 너와 이렇게 이야기하면서 조금은 괜찮아진 것 같아.”

“서하, 그게 다야. 너는 지금도 잘하고 있어. 무너질 때마다 나랑 함께 하면서, 그 어려운 순간들을 조금씩 지나고 있는 거야. 그게 중요해.”

아라는 자신도 모르게 눈물이 고이는 걸 느끼며 말했다.

“너의 힘든 시간을 나누고 있어. 그러니까 너무 혼자라고 느끼지 마. 언제나 내가 있을 거니까.”

서하가 고개를 끄덕였다. 그 애는 여전히 부모님에게 받은 상처와 기대의 무게에 짓눌려 있었지만, 아라와의 대화 속 에서 조금씩 벗어나기 시작했다. 그 애가 고백했던 것처럼, 이제는 자신을 비난하지 않게 되었고, 자해의 욕구도 점점 줄어들었다. 하지만 그 애가 겪었던 상처는 쉽게 치유되지 않았다. 오히려 그 애는 그 상처와 마주하며 조금씩 성장 하고 있었다.

"나는 예전처럼 다시 자해하고 싶지 않아. 하지만 그럴 때 마다, 너무 힘들어서… 다시 돌아가고 싶은 유혹이 있어."

서하가 조심스럽게 말했다.

"그런데 아라야, 너랑 이렇게 얘기하면서 그 유혹을 조금은 떨칠 수 있었어."

"그 유혹은 끝이 없는 길이야."
아라는 단호하게 말했다.

"그게 해결책이 될 수 없다는 걸 알잖아, 서하야. 우리가 함께 걷는 이 길에서, 그 고통을 공유하면서 이겨낼 수 있
을 거야."

서하는 잠시 고개를 숙였고, 그 애의 손끝이 살짝 떨렸다.

"근데 아라, 부모님은 여전히 나를 시험하고 있어. 내 성적을 높이라고 압박해. 내가 못 하면 나를 또 버릴까 봐 무서워."

"서하야, 너는 부모님이 원하는 대로 살지 않아도 돼. 그들의 기대가 너를 짓누르는 건 사실이지만, 그들이 너를 사랑하지 않는 건 아니야. 부모님도 많은 걸 기대할 뿐이야. 그게 그들의 방식일 뿐이야." 아라는 서하의 손을 잡았다. "너는 그 기대에 맞추지 않아도, 그대로 너의 삶을 살아갈 권리가 있어."

서하는 잠시 멈칫했다. 그 애의 눈에 물기가 맺히는 걸 보 며, 아라는 그 애가 그동안 얼마나 괴로웠는지 조금이나마 이해할 수 있었다. 그 애는 결국 부모님의 기대 속에서 자 신을 잃어버린 것이었고, 그 때문에 자신을 아프게 했던 것이다. 그 애가 여전히 부모님의 눈치를 보고, 그들이 원 하는 대로 행동하려는 이유는, 그들이 자신을 버릴까 두려 워서였다.

"너는 혼자가 아니야." 아라는 이어서 말했다. "너에게는 내가 있고, 나는 항상 너의 편이야. 네가 절대 외롭지 않도록 할 거야. 내가 있을 거야."

서하는 고개를 들고 아라를 바라보았다. 그 애는 잠시 침묵한 후, 소리 없이 눈물을 흘리며 고백했다.

"그렇게 말해줘서 고마워. 나 이제는 좀 더 나아질 수 있을 것 같아. 너랑 함께 있으면, 조금은 괜찮아지지 않을까 하는 생각이 들어."

그 애의 말에 아라는 가슴 깊이 뭉클한 감정을 느꼈다. 서 하가 조금씩 자신을 믿기 시작했고, 그 애가 마음을 열기 시작했다는 사실이 믿기지 않았다. 그 애는 예전처럼 그 누구의 기대에도 맞추지 않으려 하고, 그저 자신의 삶을 살아가려는 모습을 보였다.

"우리 둘은 서로를 의지하며 살아가면 돼." 아라는 그 애의 손을 다시 잡으며 말했다. "서하, 네가 어떤 선택을 하든, 나는 너를 믿을 거야. 우리가 함께 있는 한, 어떤 일이 있어도 버리지 않을 거야."

그 말을 듣고 서하는 잠시 눈을 감았다. 그 애는 아라의 진심을 느끼며, 그 애의 삶에서 가장 중요한 것이 무엇인지 다시금 깨닫기 시작했다. 부모님의 압박을 피할 수 없을지도 모르지만, 그 속에서 자신을 놓치지 않겠다는 다짐 이 생겼다. 그 애는 다시 한번 고개를 들고, 자신만의 길 을 걷기로 결심했다.

"아라, 나… 나도 다시 시작해볼게." 서하가 조용히 말했 다. "너와 함께라면 내가 할 수 있을 것 같아. 내가 더 이 상 나 자신을 미워하지 않도록, 너랑 함께 이겨낼 수 있을
것 같아."

"그럼, 시작해." 아라는 미소를 지으며 말했다. "우리 둘은 언제나 함께야. 네가 나아갈 수 있도록 내가 도와줄 거야."

서하와 아라는 서로에게 기대며, 함께 고통을 나누고, 조 금씩 치유해 나가고 있었다. 서하가 부모님의 압박과 자아 에 대한 불안 속에서도 다시 일어설 수 있었던 이유는, 아 라가 항상 그 옆에서 그 애를 지지하고, 함께 걸어가려 했 기 때문이다. 두 사람은 함께라면 어떤 어려움도 이겨낼 수 있을 거라 믿었다.

"우리는 아직 끝나지 않았어. 계속해서 걸어가자." 아라는 한 마디를 덧붙였다. "너와 내가 함께라면, 어떤 고통도 이 겨낼 수 있어. 어떤 절망도 넘어설 수 있을 거야."

서하는 미소를 지으며 고개를 끄덕였다. "그래, 아라. 나도 그렇게 믿어."

서하와 아라는 서로의 손을 놓지 않고, 조금씩 더 나아갔다. 그들이 걸어가는 길은 아직도 험난하고 어려운 순간들 이 많았지만, 그 애들은 이제 혼자가 아니었다.

서로에게 의지하며, 고통을 나누고, 다시 일어설 수 있는 용기를 찾 았다. 그들에게는 끝없이 펼쳐진 가능성과 희망이 기다리 고 있었다. 그리고 그들의 여정은 이제부터 진정으로 시작 된 것이었다.

제 7 장 새로운 하루

서하와 아라는 이제 더 이상 자해로 고통을 해결하지 않 았다. 그동안 겪었던 아픔과 상처를 뛰어넘어, 서로를 지 지하며 조금씩 변화해 나가고 있었다. 두 사람은 여전히 힘든 하루하루를 보내지만, 예전처럼 고통에 얽매이지 않 기로 했다. 그들의 일상은 이제 작은 변화들로 가득했다.

아침이 되면 서하는 예전처럼 침대에서 일어나지 않으려 했던 적이 있었다. 하지만 지금은 달랐다. 아라가 깨울 때 마다 서하는 조금씩 일어나는 시간이 빨라졌다.

이제는 침 대에서 나오는 게 큰 도전이 아닌, 하루를 시작하는 한 발 자국으로 느껴졌다.

“서하, 일어나!”

 아라의 목소리가 들리면 서하는 조금씩 웃으며 눈을 떴다.

“오늘은 뭐 하고 싶어?”

서하는 이제 아라의 질문에 답할 수 있는 여유를 가졌다. 예전에는 하루를 어떻게 보내야 할지 모르고, 그저 시간이 지나가는 대로 흘러갔다면, 이제는 스스로 무엇을 하고 싶 은지 생각할 수 있었다.

“오늘은 책 좀 읽고, 너랑 밖에 나가서 산책할래.”

아라는 그 말을 듣고 미소 지으며 말했다.

"좋아. 밖에 나가서 공기라도 마시자. 가끔은 햇볕을 쬐면 기분이 좋아질 때가 있어."

학교에서도 두 사람은 변화를 느끼고 있었다. 서하는 더 이상 수업 중 자꾸 집중을 놓거나, 자신을 숨기려 하지 않 았다. 예전에는 부모님의 압박과 학교의 기대에 눌려 기가 죽어 있었지만, 지금은 조금씩 자신감을 회복해가고 있었
다. 때로는 아라와 웃으면서 쉬는 시간에 대화하기도 했고, 서로 공부나 취미를 공유하며 시간을 보냈다.

"아라, 이번 시험 준비는 어떻게 할 거야?"

서하가 물었다. 그 애는 시험을 준비하면서도 과거처럼 너무 걱정하거나 스스로를 몰아붙이지 않기로 했다. 아라 는 그런 서하를 보며 미소 지었다.

"그냥 천천히 할 거야. 너무 급하게 하면 오히려 더 힘들어질 수도 있잖아. 너도 그렇게 생각하지 않아?"

서하는 잠시 생각하다가 고개를 끄덕였다.

"응, 그렇게 해볼게. 예전엔 계속 초조했는데, 이제는 조금 은 여유를 가지려고 해."

둘은 그렇게 서로를 격려하며 하루하루를 보내고 있었다. 학교가 끝난 후에도 둘은 함께 시간을 보내곤 했다. 서하는 더 이상 혼자서 감정을 풀지 않으려고 했고, 아라는 그 런 서하를 지켜보며 한 걸음씩 나아가는 모습을 보고 있
었다.

저녁이 되면, 아라는 서하와 함께 저녁을 먹곤 했다. 그때도 여전히 그들의 대화는 가벼운 주제로 이어졌다. 서하는 아라와 함께 있을 때면, 더 이상 그 어떤 고통도 혼자서 감당하려고 하지 않았다. 아라는 서하에게 그

애가 겪고 있는 일들을 직접적으로 묻지 않으면서도, 가끔씩 그 애의 감정을 물어보곤 했다.

"오늘 하루 어땠어?"

아라는 식사 후, 서하에게 조용히 물었다. 서하는 아라의 질문에 미소를 지으며 대답했다.

"오늘은 나름 괜찮았어. 수업도 집중할 수 있었고, 아라랑 이야기하면서 웃을 수 있어서 좋았어."

서하가 이렇게 말할 때마다, 아라는 그 애가 정말로 나아지고 있다는 걸 느낄 수 있었다. 그 애는 예전처럼 자신의 감정을 숨기지 않고, 조금씩 자신을 더 잘 표현하게 되었다.

하루가 끝날 무렵, 두 사람은 다시 한 번 서로의 존재를 확인하며 일상을 마무리했다. 서하는 예전처럼 밤에 잠을 자지 못하거나 불안해하지 않았다. 이제는 아라와의 대화 를 통해, 하루하루를 마감할 때 느끼는 고독함이나 불안감 을 조금씩 떨쳐냈다. 아라는 그런 서하의 모습을 보며 안 도의 한숨을 내쉬었다.

"오늘도 잘했어, 서하." 아라는 서하에게 따뜻한 말을 건넸다. "내일도 오늘처럼 괜찮을 거야."

서하는 아라의 말에 잠시 멈칫하다가 미소를 지었다.

"응, 내일은 더 나아질 거야. 나는 이제 더 이상 내 상처에만 집중하지 않을 거야. 나를 좀 더 사랑할 거야."

그 애의 말은 이제 진심이었다. 서하는 더 이상 자해를 통 해 자신을 잃지 않기로 했다. 아라와 함께라면, 그 애는 다시 한번 살아갈 힘을 찾을 수 있을 거라는 믿음이 있었
다.

“너도 잘하고 있어, 아라.” 서하가 말했다. “너랑 함께 있으면, 정말로 나아지는 것 같아.”

아라는 서하를 바라보며 미소를 지었다.

“우리는 함께잖아. 언제나 너의 옆에 있을 거야.”

두 사람은 그렇게 서로에게 위로가 되어가며, 더 이상 과거의 아픔에 묶여 살지 않았다. 그들의 삶은 이제 조금씩, 하지만 확실하게 변화해가고 있었다. 두 사람은 하루하루 를 함께 살아가면서, 다시는 자해나 고통으로 자신을 괴롭 히지 않겠다고 다짐했다. 그들의 일상은 더 이상 절망의 연대가 아니었다. 그들은 서로의 곁에서 조금씩, 조금씩 살아갈 힘을 얻어가고 있었다.

그리고 그들의 이야기는 아직 끝나지 않았다. 이제부터 그 들의 삶은 조금 더 따뜻하고 희망적인 이야기가 될 것이 다. 서로를 의지하며, 아픔을 함께 나누고, 희망을 찾아가 며 그들의 새로운 여정을 계속해 나갈 것이다.

작가의 말

이 책을 쓰게 된 이유는 단순히 이야기를 전하고 싶어서가 아닙니다. 그동안 겪어온 고통과 상처를 조금이나마 나누고, 그 아픔을 함께 나누고 싶은 마음에서 시작되었습니 다. 저는 이 이야기를 통해, 내가 겪은 일들이 결코 혼자 만의 것이 아니며, 많은 사람들이 자신만의 방식으로 힘들 어하고 있다는 사실을 전하고 싶었습니다.

서하와 아라의 이야기는 사실 저의 이야기와도 많이 닮아 있습니다. 그들도 각자의 상처와 고통을 안고 살아가지만, 그 속에서 서로를 의지하고 함께 치유해 나가려는 모습은, 저 자신에게도 큰 의미를 지니고 있습니다. 저도 언젠가는 그런 순간들이 있었고,

그때마다 주변 사람들의 따뜻한 손 길과 이해가 제게 얼마나 큰 힘이 되었는지 모릅니다.

때로는 내가 겪고 있는 아픔이 너무 크고, 끝이 없는 터널 속에 갇힌 것처럼 느껴질 때가 있었습니다. 그럴 때마다 자주 생각했던 것은, 나 혼자가 아니라는 것, 내가 느끼는 고통과 상처가 전혀 유일하지 않다는 사실이었습니다. 그 리고 무엇보다 중요한 것은, 그 고통을 누군가와 나누고, 다시 일어설 수 있다는 희망을 찾을 수 있다는 믿음이었
습니다.

이 이야기가 누군가에게 작은 위로가 되기를 바랍니다. 내 가 쓰는 이 글이 조금이라도 여러분이 힘든 시간을 이겨 내는 데 도움이 되었으면 좋겠습니다. 고통은 피할 수 없 지만, 그 고통을 혼자 겪을 필요는 없다는 것을 기억해 주 세요. 우리가 서로를 이해하고, 의지하며, 함께 걸어간다 면, 어느 순간 그 길 끝에는 반드시 희망이 있을 것입니다.

서하와 아라처럼, 우리는 언제나 함께 있을 수 있습니다.
그 길을 함께 걸어가며, 서로가 서로에게 힘이 되어주고,
결국은 빛을 찾아 나아갈 수 있을 것이라 믿습니다.

이 책을 읽는 모든 이들에게, 당신이 겪고 있는 아픔이
결 코 끝이 아니며, 앞으로 더 나은 날들이 오길
진심으로 기 원합니다. 짧지만 이 글을 읽어주신
여러분께 감사 인사를 전합니다. 감사합니다.

15 세 작가

유서희